★★★★★

我的马拉松战役

据［法］克利斯提昂·约里波瓦同名绘本动画片改编
郑迪蔚 / 编译

下蛋，下蛋，总是下蛋！

生活中肯定有比下蛋更好玩的事情！

马拉松战役的结果到底是什么……

今天皮迪克有点不舒服，于是让卡梅利多去叫醒太阳。

卡梅利多激动地爬上草垛，清了清嗓子，学着爸爸的样子伸着脖子打鸣：“哆哆哆——”

“哈哈哈，跑调了！”大嗓门嘲笑道。

小胖墩也跟着起哄：“卡梅利多，你别把雨神招来了！”

哆哆哆——

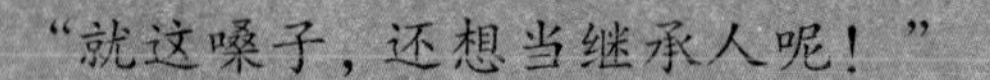

“就这嗓子，还想当继承人呢！”

“没有金刚钻别揽瓷器活！他也太不专业了……”

听着小胖墩和大嗓门讽刺哥哥，卡门恨不得冲上前教训这两个家伙，但被爸爸制止了。

“你唱得不错，卡梅利多。但你还可以做得更好。”

皮迪克耐心地示范，“一定要注意尾音，是‘喔’不是‘哆’。”

“记住，我的儿子。别人的意见都是你成长的动力，不要太在意……”

突然，一个人影如旋风一般从农场穿过……
“刚才跑过去的家伙是谁？”
哎哟！

“卡梅利多，我们过去看看好吗？”

“他跑得好快，追不上了吧？”贝里奥有些犹豫。

卡梅利多跳下草垛，“那我更要去看看。”

“瞧好了，伙计们！用这个东西，就能像拍苍蝇一样把小鸡打晕！”田鼠普老大得意地拿着把耙子。

“我知道！我知道！这是苍蝇拍,对吗,头儿？”田鼠克拉拉抢答。

“苍蝇拍是手动的，这是自动的！我把它放在地上，再在上面撒些树叶让小鸡看不出来……”

田鼠克拉拉不等普老大说完，好奇地走向草地上的耙子，心想：不就是大苍蝇拍吗？

他快步上前……

啪！

“……只要小鸡们跑过来一踩，啪！全部搞定！”田鼠普老大接着说。

“太好玩了，头儿！啪！全部搞定！我看见了晚上的星星……”

这时田鼠细尾巴看见远处尘土滚滚，“头儿，咱们的大餐来啦！”

“不错，正在饭点上。大家快躲起来！”

田鼠普老大对自己设置的陷阱充满信心：“今晚咱们就能吃到果木烤鸡啦！”

只见一个人手里握着个纸卷，健步如飞，转眼间就跑到了田鼠普老大设置的陷阱前……

"哎哟！"

他被一棍子打蒙在地……

手中的纸卷也抛向空中，落在了树枝上……

“呸！头儿，这家伙根本不是小鸡！”田鼠细尾巴扫兴地说。

“快躲起来，说曹操，曹操到，你听，那边又有脚步声了。”田鼠普老大赶忙拉着细尾巴躲进灌木丛。

这时，田鼠克拉拉突然一阵咳嗽……

“闭嘴！不许出声！我辛辛苦苦想出来的计划，不能被你搅黄了！”田鼠普老大飞起一脚，把克拉拉踢到灌木丛里。

“头儿，我忍不住要咳嗽……嗓子真难受，好像有东西卡在里面……”

“啊！”田鼠克拉拉一个倒栽葱正好摔进枯树桩中。“救命！好黑呀！”

这时，卡门和卡梅利多追了上来。

“您就是刚才从我们鸡舍跑过去的人吗？”卡门问。

那人捂着头颤颤巍巍站起来，有些语无伦次：“哦，我的头……好晕！刚才被……啪！”

“老把戏了，只是速度越快撞上会越痛。您好点了吗，先生？”

那人惊慌地喃喃自语：“我……我忘了，我忘了是谁赢了！太可怕了，我忘了谁赢了！到底谁赢了？”

“有点意思，被打成健忘症了……”

“反正赢的永远不是我，先生，您从哪儿来？”

对于贝里奥的提问，这个人根本没听见，仍不断地自问：“我到底都干了些什么？我菲迪皮茨为什么会在这里？”

“糟糕！马拉松战役，我不记得谁取得了胜利，是我们希腊人还是敌人波斯人？”

“打仗！好可怕！你确定要打仗？”贝里奥吓得直哆嗦。

“如果是波斯人赢了，就彻底完了，他们会攻进雅典……残忍的杀戮，毫不留情，他们的大军会途经这里……”菲迪皮茨越想越害怕。

“菲迪皮茨，我看你需要照顾，跟我们回鸡舍休息休息。”卡梅利多建议道。

菲迪皮茨沮丧地低着头，“真的很抱歉，我太胆小了，可能已经忘了怎么变勇敢。”

“这不是我每天早上说的话吗！”贝里奥小心翼翼地跟在后面。

躲在树后的田鼠普老大冷笑道：“我有个绝妙的计划，能把小鸡们一网打尽！咱们跟着去鸡舍，让克拉拉继续在树桩里咳嗽。”

田鼠克拉拉卡在枯树桩里很难受，忍不住使劲咳嗽，树桩里发出了嗡嗡的回音……

“细尾巴，你听，像不像军队的号角声？小鸡们会以为是波斯人来进攻，趁他们逃跑的时候，我们溜进去劫走所有鸡蛋和掉队的鸡！”

“太妙了！头儿，我佩服你。”

菲迪皮茨听到远处传来“号角”声，顿时面色苍白，牙齿打战，双腿发软。

“你们听，是波斯人，他们果然进攻了！怎么办？怎么办？”

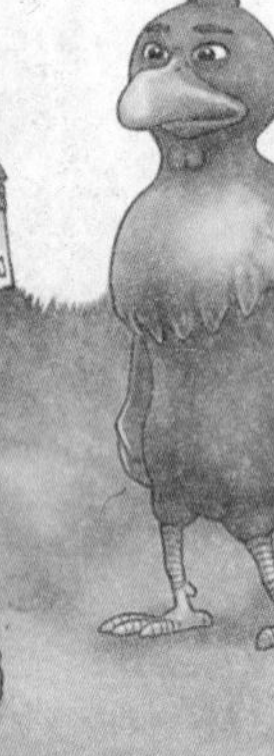

“那我们就准备和波斯人打一场硬仗！”卡梅利多精神十足地比画起拳脚。

卡门却不同意：“我们应该先组织防御。”

“这事包在我身上，设路障，挖陷阱，保卫家园！”

“我们还是赶紧逃吧……”菲迪皮茨建议。

“现在既不能逃跑，也不能草率做决定！”皮迪克指着菲迪皮茨说，“必须先帮你找回记忆，如果是你们胜了，我们也就没危险了。”

“对！遇事绝不能草率下结论。”公鸡爷爷从屋里拿出根羽毛，“那个声音虽然很奇怪，但也不能证明就是波斯人军队的号角声。用这根神奇的羽毛，包治百病，能带来意想不到的效果！”

远处再次传来“号角”声……

“敌人来啦！”

菲迪皮茨急忙扑进草垛里躲了起来……

“他比我胆子还小！”贝里奥惊奇地看着菲迪皮茨双脚不停地发抖。

“这个姿势正好便于治疗。”

田鼠克拉拉忽然停住脚步："头儿，你听到什么声音了吗？我害怕！"

"笨蛋，不是要你害怕，而是你要让他们害怕！再咳一声。"

"号角"声再次传来。

"听，波斯人准备进攻了！"

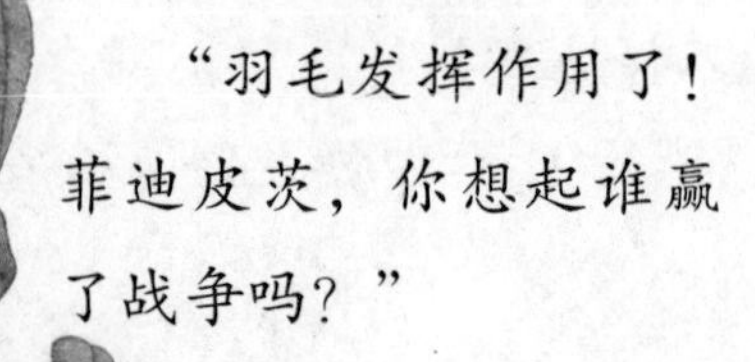

"羽毛发挥作用了！菲迪皮茨，你想起谁赢了战争吗？"

菲迪皮茨从草垛中一跃而起："不！我什么也记不得了！但必须赶快逃跑！你们也逃吧！"

“我有个主意！等一下，菲迪皮茨，我和你一起走，好吗？”卡门追了过去。

“谢谢你相信我，卡门。”

田鼠普老大在树上朝鸡舍张望：“他们的老窝壁垒森严，但只要有逃跑的，其余的也坚持不了多久。”

“太有智慧了，头儿。这样鸡蛋和掉队的鸡都是我们的了。嘿嘿！”

“克拉拉，再大点声，给他们致命一击！”说完，田鼠普老大就要踩克拉拉的尾巴，但克拉拉怕痛，闪到了一边。“让我踩尾巴！这样你才能大叫，克拉拉！”

“不！头儿，太痛了！”田鼠克拉拉从树枝上跳下来。

“停！菲迪皮茨，前面没准有陷阱！我先过去看看，你在这儿等一下好吗？”

卡门想出个好主意：“如果菲迪皮茨失去记忆是因为耙子，那我也可以用这个帮他找回记忆。”

她布置好陷阱，喊道：“过来吧，很安全！”

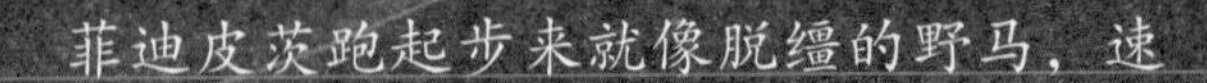

菲迪皮茨跑起步来就像脱缰的野马，速度极快……

“啪！”他又被耙子重重地打中了脑门。

菲迪皮茨感到天昏地暗，一阵眩晕，过了许久他才缓过劲来。

“卡门，我感觉好多了，记忆也完全恢复了，还有勇气！”

“我成功啦！”卡门暗暗心喜。“那么谁赢了战争？是希腊人还是波斯人？”

不知道！

不！

“好伙计，你再喊最后一次，咱们回去就有烤鸡吃！”

“不知道，我是负责将战报送回去，但我的羊皮纸不见了。”

“唉，白费劲了。”

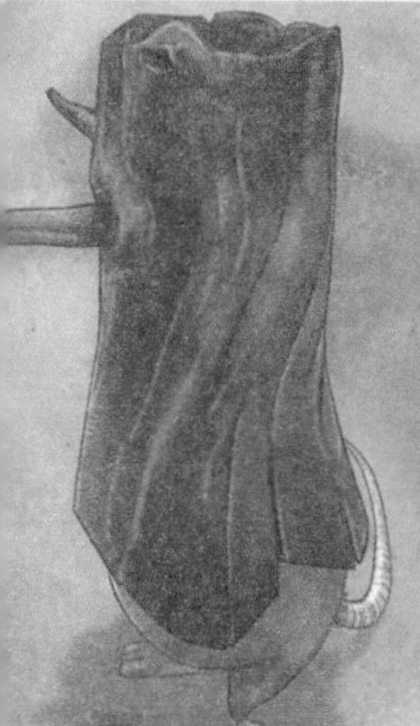

“好吧！我要吃香草味的烤鸡。”

“快看！菲迪皮茨，树枝上有一张纸！”

羊皮纸被一阵风吹下树枝……

“啊！这就是我要带的战报。”

菲迪皮茨捡起来阅读：“最后的胜利者是……”

“是谁？”卡门紧张地问。

胜利！

“是我们！希腊人！”菲迪皮茨欢欣雀跃道，“波斯人永远都不会打到鸡舍来。”

“太棒了！但这些奇怪的声音是从哪儿来的？”

“头儿，我们的陷阱被他们用了！”田鼠细尾巴尖声惊叫。

“你们的陷阱？你们的陷阱？”菲迪皮茨这才明白第一次被打蒙，原来是这帮坏蛋田鼠干的。“卡门，拿好我的战报！看看我怎么收拾这帮家伙！”

“他什么时候变勇敢了？”田鼠普老大心里暗暗奇怪。

哇！刚才一击还真有效。那个懦弱的菲迪皮茨，一去不复返了。

卡门敦促菲迪皮茨：“赶快动手吧，勇敢的战士！好好教训这帮坏蛋！”

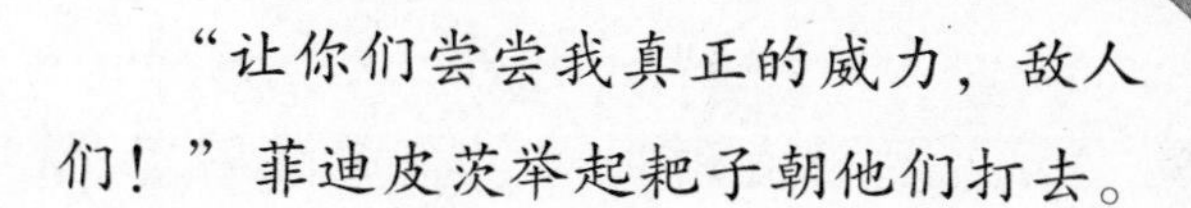

“让你们尝尝我真正的威力，敌人们！”菲迪皮茨举起耙子朝他们打去。

“计划泡汤了，快逃！”

“菲迪皮茨，你听！”

卡门看到顶着树桩逃跑的田鼠克拉拉恍然大悟：“号角声原来是树桩制造的回声！”

“作为战士，不管敌人是一个还是一群，都要战斗到底，永不退缩！”

“哈哈！快看，胆小鬼回来了。”大嗓门嘲笑道。

“嘿，别笑了。没准他带来了什么坏消息。”小胖墩捂着嘴，学着菲迪皮茨说话，“波斯人打来啦！”

“菲迪皮茨，别理那几个家伙！”卡门站出来解释。

“没事，卡门，我是来和你们道别的。”菲迪皮茨非常绅士地笑了笑。

“赶快去报信，菲迪皮茨，雅典还在等你的好消息呢！千万别忘了拿好羊皮纸！”卡门嘱咐道。

“一路平安！”

“再见，菲迪皮茨！”

“我会想你的！”贝里奥依依不舍地挥挥手。

“谢谢大家帮我找回了记忆，再见，朋友们！”

“哦，不！别往前跑，菲迪皮茨！”

小鸡们眼看着他撞上了水池旁的歪脖树。

“啪！”

“我是谁？我怎么会在这儿？”

“哦，不，他又撞糊涂了……”

这个菲迪皮茨的脑袋又不好使了，但幸好，现实中的菲迪皮茨是个真正的英雄。

公元前 490 年 9 月 12 日，希腊人和波斯人在离雅典不远的海滨小镇——马拉松海边发生了一场战役，史称波希战争，希腊人民最终获得了反侵略的胜利。为了把胜利的消息尽快带给焦急等待的雅典人民，统帅米勒狄派士兵菲迪皮茨回去报信。菲迪皮茨当时已受了伤，可是，为了让同胞们早点知道胜利的消息，他从马拉松城一路风尘仆仆跑向雅典，当他到达雅典中央广场时，激动地宣布："欢乐吧，雅典人，我们胜利啦！"随即精疲力竭而死。

为了纪念他，1896 年，雅典人在第一届奥林匹克运动会上，举行了首次马拉松赛跑。国际田联后来将 42.195 千米确定为马拉松跑的标准距离。

菲迪皮茨
（Pheidippides，又译斐力庇第斯，希腊民族英雄。）

不一样的卡梅拉

不一样的卡梅拉 第1季

1.《我想去看海》
2.《我想有颗星星》
3.《我想有个弟弟》
4.《我去找回太阳》
5.《我爱小黑猫》
6.《我好喜欢她》
7.《我能打败怪兽》
8.《我要找到朗朗》
9.《我不要被吃掉》
10.《我要救出贝里奥》
11.《我不是胆小鬼》
12.《我爱平底锅》

不一样的卡梅拉 第2季

1.《我的北极大冒险》
2.《我要逃出皇家农场》
3.《我的魔法咒语》
4.《我发现了爷爷的秘密》
5.《我的鸡舍保卫战》
6.《我想学骑自行车》
7.《我梦游到仙境》
8.《我遇到了埃及法老》
9.《我的本命年任务》
10.《我要找回钥匙》
11.《我创造了名画》
12.《我的个人演唱会》

不一样的卡梅拉 第3季

13.《我学会了功夫》
14.《我要坐飞毯》
15.《我不要撒谎》
16.《我的马拉松战役》
17.《我炼出了黄金》
18.《我想去放烟花》
19.《我的催眠树根》
20.《我讨厌小红帽》
21.《我不怕闪电》
22.《我是罗密欧》

不一样的卡梅拉 珍藏版（共三册）

卡梅拉笔记本

据［法］克利斯提昂·约里波瓦同名绘本动画片改编

图书在版编目（CIP）数据

我的马拉松战役 / (法) 约里波瓦文；
(法) 艾利施图；郑迪蔚编译.
-- 南昌：二十一世纪出版社, 2014.7（2014.10重印）
（不一样的卡梅拉动漫绘本）
ISBN 978-7-5391-9865-1

Ⅰ. ①我… Ⅱ. ①约… ②艾… ③郑…
Ⅲ. ①动画–连环画–法国–现代
Ⅳ. ①J238.7

中国版本图书馆CIP数据核字(2014)第140969号

版权合同登记号 14-2012-443
赣版权登字—04—2014—465

我的马拉松战役　郑迪蔚 / 编译

策　　划　奥苗文化　郑迪蔚
责任编辑　黄　震　　陈静瑶
制　　作　敖　翔
出版发行　二十一世纪出版社
　　　　　www.21cccc.com　cc21@163.net
出 版 人　张秋林
印　　刷　江西华奥印务有限责任公司
版　　次　2014年7月第1版　2014年10月第3次印刷
开　　本　800mm × 1250mm　1/32
印　　张　1.5
书　　号　ISBN 978-7-5391-9865-1
定　　价　10.00元

本社地址：江西省南昌市子安路75号　330009（如发现印装质量问题，请寄本社图书发行公司调换 0791-86512056）